台灣黃金投資 第一次操作就上手！

|國內與國際黃金工具的介紹和比較|

— 文章授權 —

Mr.Market 市場先生

目　錄

Mr.Market市場先生（許繼元）

曾任職於財經資訊公司，擁有十年以上投資經驗。擅長量化分析與程式交易，此外也熱中研究哲學與歷史。操作手法多樣化，從股票、ETF、期貨到選擇權，皆有研究。為了分享投資理財訊息而創設的「Mr.Market 市場先生」網站至今瀏覽數已超過一億人次，臉書社團追蹤人數亦逼近 28 萬人。

臉書｜ 

https://www.facebook.com/Mr.Market.tw/

網站｜ 

https://rich01.com/

概念篇 黃金足以抗通膨嗎？

通貨膨脹是每個投資人都很關心的議題，一旦通膨升溫，代表著自己擁有的資產縮水，而沒有人希望自己的資產被通膨吃掉。

一提到抗通膨的資產，很多人第一時間會聯想到的就是黃金。原因是當通膨升高，鈔票越來越不值錢時，黃金這個貴金屬仍保有實際的購買力，價格反而會上漲，所以很多人視黃金為抗通膨利器。

但是幾十年的歷史數據驗證下來，黃金是否真的具有抗通膨的能力？

本篇文章中，市場先生蒐集了市面上正反兩方的說法，並且提供其他可以抗通膨的資產選擇，首先就從了解通貨膨脹率的衡量方式開始吧！

通貨膨脹率如何衡量？

通貨膨脹（Inflation）跟貨幣發行量有直接的關係，簡單來說，如果貨幣發行量超過實際貨幣的需求量，那麼會造成貨幣貶值、購買力下降，就產生了通貨膨脹。

舉例來說，原本 10 塊錢可以買到一條麵包，因為貨幣超發，導致紙鈔相對不值錢，變成 20 塊錢才能買到相同的一條麵包，這就是通貨膨脹。

目前世界各國多用消費者物價指數（Consumer Price Index，簡稱 CPI）來衡量通貨膨脹的程度，而我們說的通貨膨脹率通常是指一年內物價上漲的幅度，世界各個不同國家的通膨狀況可能會落差很大。

下圖為1920～2020年間，全球平均通貨膨脹率（僅統計都市的物價指數）。

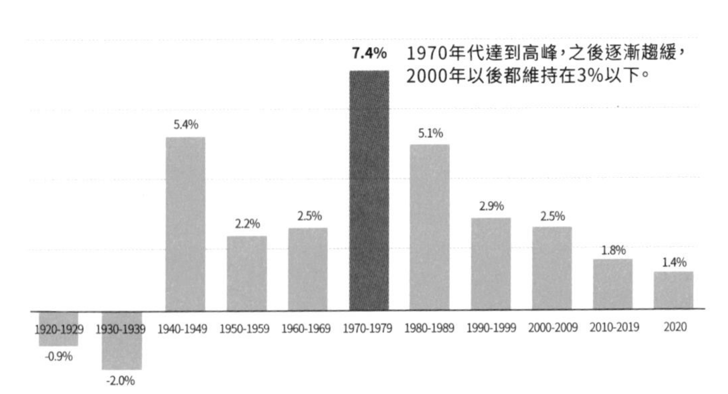

● 圖表來源：CNBC網站，Mr.Market市場先生整理。

反面說法—黃金不具有抗通膨能力

目前市場主流看法，其實是認為黃金不具備抗通膨能力。或者說，一些直接考慮黃金與通貨膨脹的數據，並沒有顯示兩者的足夠明確的關聯性。黃金在通膨加劇時，有時也會漲比較多，但也有時候不會，因此反面的看法是認為黃金不具有抗通膨的能力。

市場先生整理各種評論，綜合整理為以下四個重點。

1. 1971 ～ 2020 年，黃金價格與美國 CPI 呈現低關聯性

在講到黃金與通膨的關係，很多人第一時間會想到拿黃金價格與消費者物價指數（CPI）做比較，觀察其關聯性。在世界黃金協會發表的文章中也做了這項研究，其結果顯示，從 1970 年代後，黃金價格跟美國的 CPI 走勢並非總是呈現正相關，而是呈現了低關聯性（註 1）。

2. 通膨發生期間，黃金報酬率並非皆為正，表現不如房地產、大宗商品

從歷史數據來看，黃金在通膨發生的期間，報酬率並非總是正數的，如下圖比較了通膨較為嚴重的 1973 ～ 1979 年，1980 ～ 1984 年，1988 ～ 1991 年三個時期，結果顯示，黃金在通膨最為嚴重「1973 ～ 1979 年」時期表現最佳，報酬率超過 30%，但是其餘兩個時期報酬率均為負值，表現並不如房地產及大宗商品穩定（註 2）。

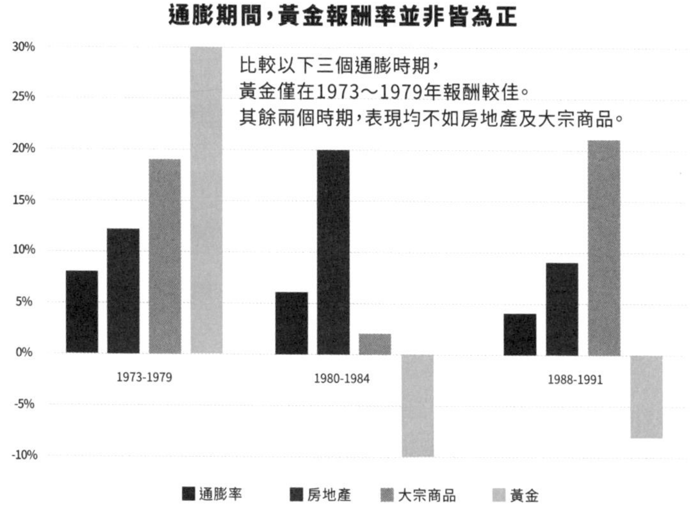

● 圖表來源：CNBC網站，Mr.Market市場先生整理。

市場先生的另一種觀點

1970 年代黃金與通膨高度正相關，但到了 1980 年代黃金與通膨呈現負相關。

這主要因為 1970 年代以前，黃金跟美元是有固定

兌換比例的，所以首先要注意的是做金價的任何統計，都不能用 1970 年以前的數據。

由於美國總統尼克森在 1971 年宣佈停止美元與黃金的兌換，布列頓森林體系就此告終。再加上當時除了金價與美元脫鉤，緊接著在 1973 年爆發的石油危機，也導致了劇烈的通膨，導致再次大幅推升黃金走勢。

我的觀點是，1970 ～ 1980 年代的金價與美元脫鉤事件，未來將不會一再重複發生，故當時兩者的高度相關性並沒有意義，而從那時起黃金也沒出現過與通膨明顯高度正相關的證據。

不過，正因為 1980 年以前的市場過度恐慌，導致黃金漲太多，所以 1980 年後市場穩定後，漲多的部分就跌回去，但能說這時通膨與黃金是負相關嗎？會不會是 1980 年之前的人，早就把 1980 年之後的通膨預期過度反應在金價了呢？

這看法不一定正確，但我覺得這也可以是另一種解讀。

3. 單一國家的通膨難以影響全球金價，黃金僅能保護貨幣購買力

單一國家可能會因為個別的狀況產生通膨，舉例來說，從 2014 年開始，國際油價從 130 美元一路跌至 30 美元，這使得高度依賴石油出口的國家委內瑞拉受到重挫，在 2018 年時，其通膨率高達一萬倍。

然而，這是屬於單一國家的狀況，並非全球性的通膨，也許該國的金價會相對其貨幣上漲，但與其說是金價漲，不如說是貨幣相對貶值，這無法帶動整個國際金價上漲。

這種情況，與其說是黃金抗通膨，更正確的說法是黃金相對具有保值性、保護購買力，而不是對抗通膨。

4. 利率、政府貨幣政策及民眾預期心理，都會影響黃金價格

按常理來說，金價長期來說應該要隨著通膨增長，然而，事實並非如此，原因是利率環境、政府貨幣政策及民眾預期通膨的心理都會影響黃金的價格波動。

如果是低利率、寬鬆貨幣政策的環境下，容易帶動金價的上漲，此外，若是經濟呈現高度的不確定性，金價多數也會上漲，像是 2020 年爆發的新冠肺炎，因為全球 188 個國家都受到影響，經濟呈現高度不確定，這時資金會流向相對防禦性的資產，因此帶動了金價一波的上漲。

這種時候即使金價上漲且人們因為政府印鈔而有通膨預期，但中間的影響因素很多，無法直接證明金價與通膨的關聯性。

然而，若黃金價格跟 CPI 的關聯度不高，為什麼仍有人認為黃金是好的抗通膨工具呢？以下是認為黃金適合做為抗通膨資產的另一種看法。

正面說法—黃金具有抗通膨能力

2021年7月，世界黃金協會（World Gold Council）在路透社發表了一篇名為〈超越CPI—黃金作為戰略性抗通膨利器〉（註1）的文章，結論提到：「黃金在一個抗通膨的投資組合中，能夠帶來許多的好處，它不僅能抵禦總體物價水平的上漲，且能夠抵禦更多的風險」，以下擷取文中一些重要的圖表及觀點。

1. 通膨升溫時，黃金在投資組合中是不錯的抗通膨工具

下圖比較了在 1998 ～ 2020 年間，各類資產，包含房地產、能源、金屬、農業、股票、抗通膨債券及黃金，在通膨升溫時的表現。

圖表中分別就敏感性（平均年化回報）、一致性（正向回報命中率）、成本（通脹階段外的年化回報），以及投資組合（60/40 投資組合的相關性），四個面向進行比較及排名，最終結果是**美國 10 年期抗通膨債券（TIPS）表現最佳，但黃金也表現不俗，與房地產並列第二。**

核心消費者物價指數（CPI core）	敏感性（平均年化回報）		一致性（正向回報命中率）		成本（通脹階段外的年化回報）		投資組合（60/40投組的相關性）		綜合排名
	表現	排名	表現	排名	表現	排名	表現	排名	排名
房地產	10%	1	100%	1	3%	2	76%	7	2.8
能源	4%	4	60%	3	-1%	7	17%	4	4.5
金屬	3%	8	20%	6	3%	1	47%	6	4.5
農業	-6%	7	0%	7	1%	5	33%	5	6
股票	3%	6	40%	5	-1%	6	-22%	1	4.5
10 年抗通膨債券	6%	2	100%	1	2%	4	15%	3	2.5
黃金	5%	3	30%	3	3%	3	8%	2	2.8

● **圖表來源：REUTERS網站，Mr.Market市場先生整理。**

市場先生小結

黃金價格雖然與 CPI 指數關聯性低，但若與其他資產別相比，在通膨升溫時期的表現仍屬於相對理想的資產。不過要注意的是，這份數據並沒有拿 1980 ～ 1997 年間，一些黃金表現較差的時期做評估，但 20 多年時間我想仍有一定的參考性。

2. 金價和 CPI 的關係變化莫測，但與貨幣供應量的關係卻是穩定的

參考下圖，儘管在黃金價格與 CPI 的關係上，找不到一個規律性，但是若比較黃金價格與貨幣供應量的關係，卻可以發現顯著的正相關。

你也會發現，所謂顯著並不是說年年都相關，有的年度並不會相關，但長期整體來說是顯著相關。

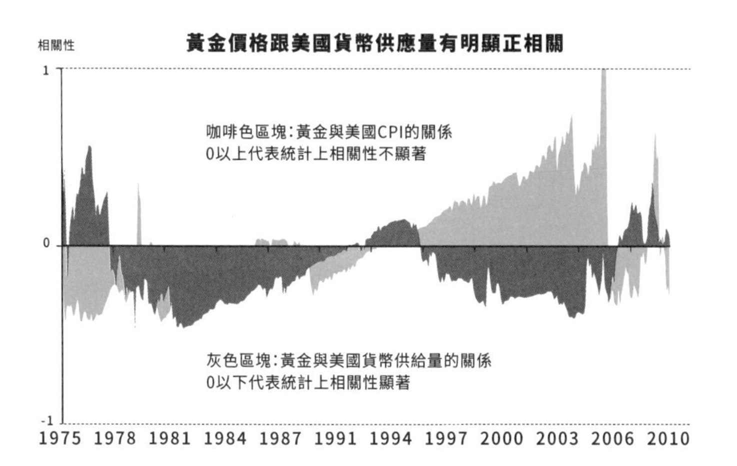

● 圖表來源：REUTERS網站，Mr.Market市場先生整理。

此外，如果比較 1971 年後黃金價格、美國貨幣供應量及美國 CPI 的年均複合成長率（Compound Annual Growth Rate，簡稱 CAGR）（參考下頁圖），會發現黃金的年均複合成長率 8.1% 遠比 CPI 的年均複合成長率 3.9% 高得多，與貨幣供應量的 7% 較為接近。

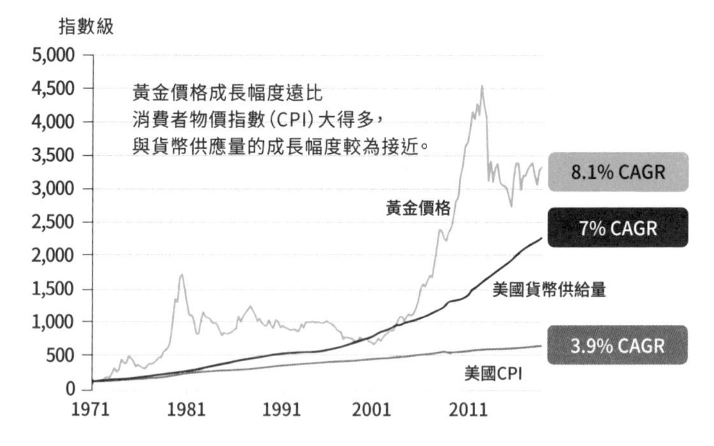

● 圖表來源：REUTERS網站，Mr.Market市場先生整理。

在許多投資組合中，黃金都扮演了強大的戰略角色，除了黃金的多元化優勢（與其他資產相關性低）外，還包括其報酬表現。從黃金與貨幣供應量的關係或許表明了，黃金自 1971 年以來所擁有的高回報並非異常，黃金不僅能夠抵禦總體價格水平的上漲，而且能抵禦更多的風險。

3. 當單一國家惡性通膨發生時，黃金較具有保值效果

所謂的惡性通膨，指的是物價快速上升，社會大眾對於貨幣的信心已經崩潰，這多數是因為政府背負大量債務，超發貨幣而造成。如同台灣在二次世界大戰後的 1945 ～ 1952 年間，根據官方《台灣省物價統計月報》的數據，1945 年初至 1950 年底，台灣的躉售物價指數上漲了 218,455.7 倍。

辛巴威也曾出現過 100 兆元的辛巴威幣只能買進半條麵包的狀況，這些都是惡性通膨。然而，在發達國家

以及當前的時空背景，惡性通膨發生的機率是較低的，現在多數時候都是屬於溫和的通膨。

在惡性通膨發生時，因為民眾對於貨幣已經沒有信心，因此會轉向較能保值的貴金屬，也就是黃金，故黃金在此時價格會快速上升，相對具有抗通膨的效果。

不過，這種惡性通膨通常只發生在單一國家，因此黃金相對單一國家貨幣上漲，不代表國際金價因此上漲、抗通膨。

黃金具有抗通膨能力嗎？

綜合上述關於黃金是否真的具備抗通膨特性的正反論述，市場先生總結出兩個觀點給讀者參考。

黃金不是抗通膨最佳的資產，但是在資產配置中可扮演保護購買力的角色。

從數據上，沒有明顯的證據顯示黃金能有效抗通膨。當然，黃金不是最有效的抗通膨資產，但也不能說它完全沒抗通膨能力。數據上來看，在通膨時期，黃金有時表現好、有時表現差。

前面有提到，我認為單看數據會有很多評估上的缺陷，因為黃金價格的影響因素本來就不是只有通膨一樣，舉簡單的例子：1980～1990年代的統計數據，黃金都是下跌趨勢，與通膨呈現負相關，這能解釋黃金與通膨無關嗎？

會不會只是1980年之前黃金漲太多、市場過於恐慌，但1980年後市場情緒恢復、才把漲多的走勢做了修正？

再加上金價價格很多時候是反映諸多影響因素及未來預期，而通膨指數則是反映具體經濟狀況，所以直接從報酬比較的數據下結論，可能還是有疑慮的。

我們不能夠期待通膨時金價會大漲做為保護，但長期而言，如果我們擔心本國貨幣購買力下降，那黃金仍是一個保護效果不錯的選項。

第二層思考：世界會怎樣因應通膨？

當人們擔心通膨發生時，其實許多政府、企業，可能比我們更加擔心，甚至提早出手干預，或者做出應對。進而後續也許會有利率變動，如升息等政策調整。這些事情有時儘管還沒發生，但也會因此改變人們對未來的預期，也會影響各種資產價格的表現。

對於這點並沒有標準答案，並不是說怎樣做就一定正確，但我認為這是考慮通膨的人必須要先思考的事情。

市場先生觀點2

黃金最重要的特性不是抗通膨，而是與其他資產相關性低，以及避免本國貨幣貶值。

如果你目的是要抗通膨，那有其他很多類資產可以選，黃金並不是沖銷通膨風險的最佳選擇。

以黃金來說，它的角色是股票和債券以外，最能增加投資組合多樣性的資產之一，以及提供本國貨幣貶值時，相對有保值效果的資產。儘管它不具備很強的抗通膨效果，但和其他眾多資產比較下來仍相對非常實用。

不過，儘管有其他更好的抗通膨資產，但市場上的風險不是只有通貨膨脹一種，所以沒有絕對優勢的資產。各種資產都能在不同的狀況下發揮作用，最後還是要回到資產配置來談。也就是說，透過合理的資產配置來控制通膨及其他風險帶來的影響。

通膨對於現金及存款越多的人，影響越大；對於擁有非現金的實體資產越多的人，影響越小。但是拉長時間來看，每年通膨的影響約3%，對於一般人來說影響並不大。資產多的人因為受通膨影響大，一般在投資組合中都會配置抗通膨的資產，像是：股票、不動產REITS、原物料、抗通膨債券TIPS，都是可以抗通膨的資產選擇。

註1：*Beyond CPI: Gold as a strategic inflation hedge*

https://www.reuters.com/article/sponsored/beyond-cpi-gold-as-a-strategic-inflation-hedge

註2：*Gold as an inflation hedge? History suggests otherwise*

https://www.cnbc.com/2021/06/08/gold-as-an-inflation-hedge-history-suggests-otherwise.html

- 本文出處：

https://rich01.com/gold-assets-against-inflation-rising/

基礎篇

台灣有哪些黃金投資工具？

黃金存摺／黃金 ETF ／黃金期貨／黃金現貨／金條金飾

黃金是許多人喜歡的投資管道之一，本文將整理出一些關於投資黃金的基本知識。

投資黃金之前，先了解「黃金的交易成本」

黃金屬於流動性比較差的商品，因此買入和賣出之間存在價差，這價差就是黃金的交易成本。舉例來說，你透過台灣銀行黃金存摺購買購買一公克的黃金，銀行的賣出價為：1323 元；你的買入價：1304 元，中間的交易成本約等於 1.45% 左右。換句話說：你每次買進黃金就會先損失 1.45%。

- 買入價：對方向你買進黃金的報價
- 賣出價：對方賣黃金給你的報價
- 交易成本：（賣出價－買入價）／買賣均價

黃金是美元計價的商品，在國際市場上黃金有根據美元所訂的價格，用台幣換成美元買黃金時，一來一回會產生「換匯損失」，目前約是 0.32% 左右。

如果不買美元計價，而是買台幣計價的黃金，隨著時間過去會增加「匯率變化」風險，可能讓你多賺、也可能多賠。

每種黃金投資管道的交易成本都不同

除了上述兩種最主要的成本以外，根據交易管道不同，還會有手續費或管理費之類的成本，以下列出每種黃金買賣方式，以及大概的交易成本。

管道	類別/標的	單次買賣成本（估）	持有成本	需換匯（美元）	兌換實體黃金
黃金存摺	黃金存摺（台幣）	1.45%	無	（匯率風險）	+1%~2%
	黃金存摺（美元）	1.00%	無	換匯（0.32%）	+1%~2%
黃金ETF	台股黃金ETF（00635U）	0.25%	管理費（1.15%/年）	（匯率風險）	無
	美股黃金ETF（GLD）	0~0.1%	管理費（0.4%/年）	換匯（0.32%）	無
	美股黃金ETF（IAU）	0~0.1%	管理費（0.25%/年）	換匯（0.32%）	無
期貨/CFD	黃金CFD交易	0.02%~0.04%	利息（0.00685%/天）	換匯（0.32%）	無
	黃金期貨（GC）	0.008%~0.015%	換倉成本	換匯（0.32%）	無
	黃金期貨（MGC）	0.08%~0.15%	換倉成本	換匯（0.32%）	無
	黃金期貨（台灣）	台灣黃金期貨流動性差不討論			
黃金現貨	臺銀金（AU9901）	0.75%	無	（匯率風險）	+1.8%
	一銀金（AU9902）	0.68%	無	（匯率風險）	+1.8%
實體黃金	銀樓－金條	約1%~5%	無	無	✓
	銀樓－金飾	約10%	無	無	✓
	銀行－金條	約3%	無	無	✓
	銀行－金幣	約7%	無	無	✓

（以上手續費及金額數字，皆以撰文時的數字為準，正確數字請參考官方公告）

黃金投資方法 1：銀行—黃金存摺

黃金存摺簡單來說，就是「買進黃金但銀行幫你保管」的概念（後面有專文解說）。許多家大型銀行都可以開立黃金存摺帳戶，例如：臺灣銀行、合作金庫、中國信託、第一銀行、華南銀行、元大銀行目前不能線上開戶只能臨櫃，交易可以網銀線上買賣。

通常建議是去臺灣銀行花 100 元就能開戶，而黃金存摺的買賣報價通常也是參考臺灣銀行。開戶後即可透過存摺去交易黃金，不用擔心金條放在家裡受影響，也可以彈性的買進各種單位數。

至於存摺目前的買賣價差，台幣計價是 1.45%，美元計價是 1%。如果用美元買，會有 0.32% 的換匯成本；若用台幣買，雖然不用換匯，卻有匯率變化的風險。這數字說高不高說低不低，大概比買賣股票貴 3 倍，黃金存摺跟銀行定存不同在於它不會生利息，另外也要避免頻繁買賣，否則很容易虧損。

【黃金存摺】

- 優點：可兌換實體黃金、只適合長期持有。
- 缺點：交易成本中等、不適合頻繁買賣賺價差、需要臨櫃開戶。

黃金投資方法 2：黃金 ETF

在台灣或者海外的 ETF 都能找到專門追蹤黃金投資的標的，因為 ETF 是基金的一種，所以會有管理費，我個人不大推台灣的黃金 ETF，主因是管理費太高。

黃金 ETF	有哪些成本
台股黃金 ETF（00635U）	管理費（1.15%/ 年）+ 手續費（0.15%）+ 交易稅（0.1%）
美股黃金 ETF（GLD）	管理費（0.4%/ 年）+ 手續費（0~0.1%）+ 換匯（0.32%）
美股黃金 ETF（IAU）	管理費（0.25%/ 年）+ 手續費（0~0.1%）+ 換匯（0.32%）

●美股黃金ETF交易成本：

美股券商最大的好處就是交易成本往往極低，而且美股 ETF 管理費也都很低。各券商略有差異，但手續費約 0 ～ 0.1%，管理費每年 0.17% ～ 0.4%，當然中間還要考慮換匯成本（約 0.32%），以及銀行電匯的費用，如果金額大的話電匯費用可忽略，但好處是沒有匯率風險。

要注意的是，雖然美國 ETF 手續費很低甚至免費，也不代表可以頻繁買賣或當沖，ETF 和股票都有禁止短線交易的規定，如果是頻繁交易帳戶會有一些限制，例如要等到股款交割後才能進行下一筆交易。

●美股黃金ETF怎麼買？

最大歷史也最悠久的是 SPDR 發行的 SPDR Gold Trust（代號 GLD），其次是 ishaes 發行的 iShares Gold Trust（代號 IAU），這兩檔 ETF 都是追蹤黃金指數，透過美股券商都能夠買進，當然還有更多其他的黃金 ETF，費率更低一點，不過規模較小。

●台股黃金ETF怎麼買？交易成本？

國內的黃金 ETF 好處就是買賣簡單，用股票帳戶就能買。然而，台股目前僅有一檔元大標普黃金 ETF（00635U），交易成本約 0.25%，包含手續費（0.15%）+ 交易稅（0.1%），ETF 的手續費用券商折扣 5 折去估。

管理費每年 1.15%，是由 1% 經理費 +0.15% 保管費組成，實際上還要再加上一些買賣成本與雜支才是實際支出，這費用和國外黃金 ETF 比起來略高，會造成較大的追蹤誤差。

因此，如果要投資建議還是以美股 ETF 為主。

【黃金 ETF】

- 優點：價差低、買賣方便流動性佳、適合長期持有。
- 缺點：有管理費、要選擇標的，台灣的黃金 ETF 持有成本與交易成本較高。

黃金投資方法 3：適合投資老手的黃金期貨 / 黃金差價合約（CFD）

黃金期貨和黃金差價合約（CFD）都是類似的商品，共通的特色在於是用**保證金交易**，因此交易成本會便宜非常多，這兩種工具是所有黃金投資中唯一適合短線頻繁操作的類別，但要注意避免槓桿太大問題。

如果你還不知道**什麼是保證金交易、什麼是期貨、CFD 交易**的新手，建議先不要急著交易，先點進本篇文末附上的 QR CODE，瀏覽市場先生的相關說明文章，等搞懂之後再開始。

儘管透過國內期貨券商開戶，即可交易買賣期交所發行的黃金期貨（代號 GDF），但目前國內黃金期貨的成交量極低，流動性差，因此不推薦交易國內黃金期貨，此處先不列入討論。

黃金投資方法 4：黃金現貨─流動性低但交易成本也低

目前在櫃買中心，有 2 檔黃金標的可以交易，標的分別是臺銀金（AU9901）和一銀金（AU9902），你可以想像成在買賣股票，只是它可以兌換成實體黃金。

用一般任何券商的證券戶就可以買進黃金現貨（就是買股票的戶頭），如果還沒開戶，可以參考市場先生網站另一篇文章：〈最新證券開戶推薦優惠券商〉。報價是台錢，成交單位是台兩（1 台兩 =10 台錢），也就是報價乘以 10 是實際買賣一單位的金額。

櫃買中心 - 黃金現貨	交易成本
臺銀金（AU9901）	0.15%（價差）+0.6%（手續費）
一銀金（AU9902）	0.08%（價差）+0.6%（手續費）
兌換成實體黃金	+1.8% 手續費

●黃金現貨買賣手續費、價差

目前黃金現貨買賣交易的手續費是千分之 3，一買一賣就是 0.6%，不收證交稅。而報價的時候，黃金現貨和股市一樣有買入和賣出的價差，價差大概 0.08% ～ 0.15% 浮動，儘管價差不算高，卻要另外加計買賣交易的手續費。

●提領實體黃金費用

提領時每台兩的費用台銀是 850 元，第一銀行是 908 元，大約是額外 1.7% ～ 1.8% 的費用。換句話說，如果你想實體提領，那之前的手續費優勢又會被吃掉一點。

此外，雖然黃金現貨有造市者（Market maker，提供買賣流動性的交易商），但因為每日成交量相當低，是投資黃金現貨的最大問題。

【黃金現貨】

- 優點：價差比黃金存摺低、可兌換成實體黃金。
- 缺點：成交量超小流動性很差、實體提領的成本高，因為是台幣計價也要考慮匯率風險。

黃金投資方法方法 5：買賣實體黃金

各種黃金實體管道	買賣差價
銀樓－金條	約 1% ～ 5%
銀樓－金飾	約 10%
銀行－金條	約 3%
銀行－金幣	約 7%

銀行或你家樓下的銀樓基本上就可以買賣實體黃金，金條是比較通用的交易單位，但單價也比較高，一條一公斤的價格就上百萬。銀行只收金條、金幣這種固定規格的黃金，銀樓則是收金飾這類不規則造型的黃金，但價格比較差。

投資黃金千萬不要因為單價低就買金飾或金幣，這些回收價通常低很多，有些金飾還要收加工的費用。金飾就是裝飾品，不是投資標的，古時候有錢人會喜歡金飾珠寶有很大的原因是戰爭時後逃難方便攜帶。

總體來說，不推薦頻繁買賣實體黃金的原因很簡單：手續費太貴、保存上有風險。

【實體黃金】

- 優點：看的到摸的到比較安心。
- 缺點：交易成本太高、保管不易、單價極高、匯率風險。

快速總結：投資黃金

如果想投資黃金，市場先生幫你快速整理幾個結論：

1. **想好幾年長線持有投資：**
   持有 5 年以內買美股黃金 ETF，確定 5 年以上都不會賣就用黃金存摺。
2. **短期看好、想中短線操作：**
   用期貨券商下單海外黃金商品或者差價合約交易商去操作成本最低，記得要留意槓桿，建議新手先不要嘗試。
3. **想看到摸到金閃閃的黃金：**
   去銀行買一個金條回家放即可，記得買保險箱。

另外沒事不要把黃金換成實體、不要買金幣或金飾，避開流動性很差的國內黃金期貨和國內黃金現貨、避開管理費很高的國內黃金 ETF。

- 本文出處：
  https://rich01.com/how-invest-gold/

實戰篇 1

黃金存摺投資懶人包

很多人喜歡投資黃金，因為黃金是全球最重要的保值商品，也能有對抗通貨膨脹或與股市空頭低相關的特性。如果不考慮短線交易，以**長期投資來說，成本低的方法主要有黃金 ETF 與黃金存摺這兩種**。本篇文章將詳細介紹黃金存摺的利用方式。

黃金存摺是什麼？

黃金存摺是投資黃金的管道之一，簡單來說，就是「**買進黃金但銀行幫你保管**」的概念。黃金存摺必須先到銀行申請開戶，拿到存摺後才可以開始購買黃金、記錄買賣黃金的交易行為。開戶後就能透過存摺去交易黃金，不用擔心金條放在家裡受影響，也可以彈性的買進各種單位數。

黃金存摺的特性：

- 銀行開立黃金存摺手續費：100 元台幣。
- 黃金存摺的計算單位，**美元計價時最低買賣單位是「1 盎司（31.1 公克）」；台幣計價時最低買賣單位是「1 公克」**。
- 黃金存摺**沒有利息**。
- 黃金存摺交易黃金時沒有手續費，但和換匯一樣，會有買入價、賣出價之間的價差，屬於投資人的交易成本，也等同是銀行賺取的手續費。
- 台灣買賣黃金**不會有交易稅**。
- 付出手續費即可提領實體黃金，黃金存摺可轉換成黃金條塊，但提領後就不得再存入黃金存摺了。

以臺灣銀行新台幣計價的黃金存摺來舉例，2021/01/22 的 1 公克賣出價格是 1681 元，但要注意買賣黃金存摺和外匯一樣有買入、賣出的價差，像是台灣銀行 2021/01/22 的黃金存摺 1 公克買入價則為 1659 元，中間的價差約 1.32%。

從這數字來看：**黃金存摺非常不適合頻繁的短線交易**，因為價差費用太高，只適合長期持有。如果你要賺黃金的價差，建議使用其他工具，包含黃金 ETF、黃金期貨、黃金差價合約等等。

黃金本身是不給予利息的金融商品，所以開黃金存摺帳戶銀行是不會給利息的。以臺灣銀行的黃金存摺為例，官網指出：「這是提供客戶以存摺方式登載本行與客戶間之黃金買賣及保管業務，不支付利息。新臺幣、美元及人民幣計價之黃金登錄於同一本存摺，但不得跨幣別買賣。」

用黃金存摺買黃金的優點與缺點

黃金存摺的優點：

- 比起買黃金現貨、金條，可以避免儲存保管的問題。
- 比起買黃金現貨、金條，交易成本相對更低。
- 比起黃金 ETF，長期持有時不會扣管理費。

黃金存摺的缺點：

- 黃金存摺不會有利息，這代表著投資黃金的機會成本。
- 買賣黃金的交易價差不低，不適合頻繁買低賣高。
- 若想提領現貨黃金，要付出額外費用（不划算，不建議）。

黃金存摺怎麼開戶？

去銀行黃金存摺開戶，需先準備以下資料「**身分證、第二證件、印鑑、100元現金**」，如果是公司**法人開戶**，則是要準備相關的**公司成立文件與印鑑**。

●黃金存摺如何選擇銀行？

黃金因為報價和國際金價一致，各大銀行的報價價差部分（賣出價－買入價）其實差異不大，選銀行應該以交易方便為主。例如：臺灣銀行、合作金庫、中國信託、第一銀行、華南銀行、玉山銀行、元大銀行……等等。

但如果後續想進行線上交易，需要綁定自己的台幣帳戶或外幣帳戶來扣款（黃金存摺就類似一本外幣戶頭），故建議到自己原本有在使用的銀行開戶。如果打算臨櫃交易，則選離家近的銀行為佳。

●黃金存摺開戶流程如下：

1. 準備好開戶資料，到銀行開黃金存摺帳戶，目前只限臨櫃開戶。
2. 建議同時綁定指定銀行的扣款帳戶（尤其外幣戶），方便未來開通網路交易。
3. 開好黃金存摺後，可以臨櫃或者用線上網銀買賣黃金。

目前各大銀行只能臨櫃開戶，不過卻可以用網銀線上買賣交易。另外，用美元計價買黃金成本比較低，故建議開戶時最好綁定自己的外幣戶頭，方便未來扣款。

黃金存摺交易時間到幾點？

要注意，黃金存摺和買賣外幣類似，有限制交易時間，都以銀行營業時間為主，網路交易會更方便一點。

1. **臨櫃：**營業日上午 9:00 ～ 15:30。
2. **網銀（單筆交易）：**單筆為營業日第一盤價格（約 8:40 ～ 9:00）至下午 15:30。
3. **網銀（盤後交易）：**以台灣銀行為例，台幣計價黃金是 16:00 ～ 20:00，美元計價黃金是 16:00 ～ 22:00 時。
4. **網銀（定期投資、到價買進及查詢類）：**每日 24 小時提供服務。

黃金存摺怎麼買黃金？

以臺灣銀行來說，黃金存摺可轉換成黃金條塊，但提領後就不得再存入黃金存摺了。那開好黃金存摺後，怎麼買黃金呢？還有，該**用台幣計價買黃金，還是用美元計價買黃金**？

建議黃金存摺買進時，若資金足夠就用美元計價，雖然單次總金額較高（最小單位至少 1 盎司，約 31.1 克），但買入價和賣出價之間的費用率較低。

以台灣銀行的報價為例（為撰文當下數據）：

美元計價買入價和賣出價的價差，約 0.95%。

台幣計價買入價和賣出價的價差，約 1.43%。

人民幣計價買入價和賣出價的價差，約 1.51%。

各家銀行報價雖然有不同，但價差其實都差不多。畢竟國際上也都是用美元做黃金報價，因此比較好的方式，是自己先換好美元外幣在外幣存摺中，並且用美元帳戶扣款去買黃金。

●四種買黃金的方式（以臺灣銀行黃金存摺為例）

臺灣銀行官網指出，開好黃金存摺後可透過 4 種方式買黃金：

購買方式	特色說明
單筆買進	● 臨櫃及網銀單筆買進皆免買賣手續費，單筆買進金額不得低於各計價幣別 200 元或是得以各計價幣別基本掛牌單位之倍數買進。 ● 新臺幣及人民幣計價黃金存摺」基本掛牌單位為 1 公克。 ● 美元計價黃金存摺基本掛牌單位為 1 英兩（31.1 公克）。
限價單買進	申請人得約定於一定期間內，於臺灣銀行黃金存摺牌告價格達到或優於申請人設定單價時，依該牌告價格執行買進交易後，以申請人指定之存款 / 黃金存摺帳戶執行之成交價金、成交手續費及黃金數量扣帳 / 入帳作業。
黃金撲滿	● 必須有臺灣銀行新臺幣活期性存款（支票存款除外）或外匯綜合存款帳戶，以及黃金存摺帳戶。 ● 客戶可臨櫃申請或自行於網路銀行設定黃金撲滿，設定後於每月第一個營業日，扣取設定之「買進金額」及「作業處理費」，買進金額將平均分配於每一個營業日購買黃金，並於最後一個營業日彙總當月購買數量存入黃金存摺，客戶並得選擇是否設定乖離率，作為變更買進金額之依據。
定期定額	● 必須有臺灣銀行新臺幣活期性存款帳戶（支票存款除外），客戶可臨櫃申請或自行於網路銀行設定，授權臺灣銀行於每月 6 日、16 日、26 日（任選一日或數日）扣取設定之款項及手續費，買進黃金存入黃金存摺。 ● 扣款金額至少須新台幣 3,000，並得以新台幣 1,000 之整倍數增加。

● 資料來源：臺灣銀行，並由Mr.Market市場先生整理。

你可以根據需求選擇購買方式，但要留意如果金額太小無法進行交易。

黃金存摺適合什麼人投資？其他黃金投資管道比較

考慮到不同投資人屬性，市場先生的建議如下：

- **黃金存摺：**適合單純想長期投資持有黃金，或定期買進黃金的投資人，至少 5 ～ 10 年以上。
- **黃金 ETF：**適合想資產配置目的持有黃金投資人（詳情參閱下一篇）。

「長期持有」是使用黃金存摺最重要的前提。黃金存摺的買入和賣出價差約 1%，如果你沒打算持有至少 5 年以上，其實多付出這 1% 並不划算，不如用黃金 ETF，即使有管理費，但如果時間不長，幾年加起來可能也不到 1%，交易卻更有彈性。

我覺得原本手上就有美股券商的人，可以直接用黃金 ETF 即可（如代號為 GLD、IAU、GLDM、SGOL、BAR 等幾支黃金 ETF，下一篇會另外介紹），更適合作為資產配置使用。

因為美股券商買黃金 ETF 手續費大多接近零，成本僅有黃金 ETF 的管理費。

至於短線交易者，這兩種商品皆不適用，操作黃金期貨或者差價合約交易會更加有利。

快速重點整理：黃金存摺是什麼？

1. 黃金存摺是投資黃金的管道之一，簡單來說，就是「買進黃金但銀行幫你保管」的概念，必須先到銀行申請開戶，拿到存摺後才可以開始購買黃金，銀行就會利用這本存摺來記錄我們買賣黃金的交易行為。

2. 想投資黃金存摺，就先到銀行開黃金存摺帳戶，以臺灣銀行為例，開好黃金存摺後有 4 種方式可買黃金 (單筆買進、限價單買進、黃金撲滿、定期定額)。

3. 黃金存摺和一般存摺不同，像是我們到銀行開戶把錢存錢進去後，銀行會給利息，但是黃金本身是不會有利息的金融商品，所以開黃金存摺帳戶銀行是不會給利息的。

4. 黃金存摺不建議頻繁買賣，否則交易成本過於昂貴，所以建議要長期持有。

5. 黃金存摺用美元計價買黃金，雖然最小單位比較高，會造成單次金額較大，但整體交易成本費用也比較低。

- 本文出處：

https://rich01.com/what-is-gold-saving-account-tw/

實戰篇 2

黃金ETF的投資教學

因為黃金有避險的特性，所以很多人喜歡買來規避**惡性通貨膨脹**發生時，本國貨幣購買力下降的風險；也因為黃金具有與其他資產的相關性較低的特性，也是很多人在資產配置裡會搭配的種類。

黃金投資的管道有很多，本篇文章將介紹何謂黃金ETF，它和直接買金條、黃金期貨的差異，以及有哪些美股黃金 ETF 種類。

黃金ETF是什麼？

黃金 ETF，意指追蹤黃金相關指數的 ETF，包括黃金價格指數，或者金礦公司股價指數。

這種在交易所交易的基金，是實體黃金的替代品，屬於**商品原物料型** ETF。

因為直接購買實體黃金不好攜帶、流動性差、交易成本高，所以透過投資黃金 ETF，等同於讓投資人買到一籃子的黃金。

此外，黃金 ETF 的漲跌都與直接買進黃金非常接近，再加上流動性增加、容易變現、交易成本和持有成本也低，是**最適合一般人的方法之一**。

黃金ETF不同於黃金存摺，不是幫你購買實體黃金，而是藉由基金（ETF）去持有一些實體黃金或黃金期貨等衍生品，追蹤黃金相關的指數。即使把黃金 ETF 贖回，你也不會拿到任何的實體黃金，是單純的現金交易。

黃金ETF種類有哪些？

一般我們談到黃金 ETF，主要都是指追蹤金價的 ETF，但與黃金相關的 ETF 其實還包括金礦公司 ETF，以及一些槓桿型和反向型 ETF。不過，後者不建議一般人去使用。黃金 ETF 常見的種類主要有以下幾種：

1. 黃金價格 ETF（Gold price ETF）：

這是最重要的一種黃金 ETF，會追蹤金條的價格，有些 ETF 是實際買金條，有些 ETF 則是買黃金期貨，但目標都一樣，就是追蹤金價，讓 ETF 的淨值表現與目前金價走勢相同。

投資人實際上並不擁有金塊，但由於這種 ETF 是追蹤黃金的「價格」，所以當金價上漲時，這樣的 ETF 價格也會上漲，金價下跌時 ETF 也會下跌。

2. 金礦公司 ETF（Gold miner ETFs）：

金礦公司 ETF 不投資金塊或黃金期貨，而是購買黃金開採公司的股票，這些股票的價格往往會隨著金價而變動，但由於黃金礦工 ETF 實際上並不持有任何黃金，故不會準確地追蹤金價。

金礦公司的波動性比金價劇烈許多，常常大起大落，一般多用在波段交易，較少長期持有。除非有相當的專業，否則不建議操作這類原物料類型的公司。

3. 反向黃金 ETF（Inverse gold ETFs）：

反向黃金 ETF 就是黃金的反向 ETF，又稱黃金空頭 ETF，運用股指期貨、互換合約等槓桿投資工具，目的是與目標指數呈現反向收益的倍數（如－1 倍、－2 倍、－3 倍），會與黃金的市場價格呈相反方向移動。假設你投資 1000 美元的反向黃金 ETF 股票，當金價下跌5%，你的ETF大約會增加5%價值，達到1050美元。

4. 槓桿黃金ETF（Leveraged gold ETFs）：

槓桿黃金ETF，簡單來說，就是搭配了槓桿的黃金ETF，主要藉由放大黃金價格的變動，來增加收益。例如，2倍槓桿黃金ETF上漲1%的話，你就能獲得2%的收益，特色是漲幅大、放大盈虧機會，但同時也放大了你的交易成本。

一般投資新手建議先不要碰反向及槓桿黃金ETF，因為這兩種ETF持有及交易成本都比較高。

黃金ETF跟直接買黃金、黃金期貨差在哪？

黃金ETF和實體黃金差異

如果你想要購買黃金，最直接的方法是去買金條、實體黃金，但除了費用昂貴，還要考慮儲存成本、失竊風險，以及流動性較低，出售難度大。相較下黃金ETF，因為不購買實體黃金，所以是一種更具流動性和成本效益的投資方式。

市場先生提醒

同樣是黃金ETF本身也有區分，目前美國投信公司（如：SPDR、iShares）發行的黃金ETF，像是GLD、IAU、SGOL、GLDM等，交易成本及管理費都比較低，大約落在每年0.17%～0.4%之間。台灣也有基金公司發行黃金ETF，但管理費偏高，每年超過1%，故不建議使用。

黃金 ETF 和實體黃金差異		
比較	黃金 ETF	實體黃金
單次買賣成本（估）	透過國內外券商買進 ETF 的交易成本： • 美股黃金 ETF 的 IAU 為例，大約 0 ～ 0.1% • 台股黃金 ETF 的 00635U 為例，大約 0.25%	• 銀樓金條：約 1% ～ 5% • 銀樓金飾：約 10% • 銀行金條：約 3% • 銀行金幣：約 7%
持有成本	• 美股黃金 ETF 的 IAU 為例，管理費每年 0.25%。 • 台股黃金 ETF 的 00635U 為例，管理費每年 1.15%。	無
優點	價差低、買賣方便流動性佳、適合長期持有。	看的到、摸的到、可以帶著走。
缺點	有管理費、要選擇標的，台灣的黃金 ETF 持有成本與交易成本較貴，國外的費用便宜很多。	交易成本太高、保管不易、單價高。

如果想長期持有黃金，除了黃金 ETF 以外，另一個選項是黃金存摺，雖然交易成本略比 ETF 高，但沒有管理費，比實體黃金好的多。

●黃金ETF和黃金期貨的差異

黃金 ETF 與黃金期貨都是買賣黃金，但交易單位有很大的不同，黃金 ETF 的交易單位可能是幾百美元，黃金期貨的交易單位則可能是十萬美元甚至更多（但交易成本通常也較低），所以高資產的人會去交易黃金期貨，一般人比較會去交易黃金 ETF。

如果要短線交易，黃金 ETF 與黃金期貨雖然可以很容易做多或做空，但黃金期貨做空會比 ETF 相對容易一些、成本也更低。

黃金期貨的特色是採用保證金交易，在黃金投資中適合短線頻繁操作的類別，但要注意避免槓桿太大問題，建議可以先搞懂什麼是保證金交易、什麼是期貨再開始交易。

黃金 ETF 和黃金期貨差異		
比較	**黃金 ETF**	**黃金期貨**
交易單位	百美元	十萬美元甚至更多
單次買賣成本（估）	● 美股黃金 ETF 的 GLD 為例，約 0 ～ 0.1%。 ● 台股黃金 ETF 的 00635U 為例，約 0.25%。	大約 0.08% ～ 0.15%
持有成本	● 美股黃金 ETF 的 GLD 為例，管理費每年 0.4%。 ● 台股黃金 ETF 的 00635U 為例，管理費每年 1.15%。	換倉成本：約 3 個月要換一次。
優點	價差低、買賣方便流動性佳、適合長期持有。	買賣交易成本極低、適合短期操作、多空都能操作、可以使用槓桿、無管理費。
缺點	有管理費、要選擇標的，台灣的黃金 ETF 持有成本與交易成本較高。	不適合長期持有、槓桿交易波動大，適合老手操作、到期需換倉。

● 資料時間：2022年03月。

黃金ETF值得投資嗎？

一般常聽到的「黃金抗通膨」，如果指的是一般通膨，有兩種不同的說法，有的人認為抗，有的人認為不抗。但如果指的是惡性通膨（例如 2022 年 3 月俄羅斯盧布在短時間內大幅貶值），那**黃金確實具有抗惡性通膨的作用**。更好的說法應該是「保值」，當**貨幣價值下降時，黃金相對保值**。以這個觀點來看，**黃金 ETF 很適合想做資產配置、長期投資的人。**

市場先生自己的看法，我認為黃金是能抗通膨的。

黃金ETF的優缺點是什麼？

如果是想做資產配置、長期投資的人，可以考慮投資黃金 ETF，在投資之前，可以先了解它的優缺點。

黃金ETF的優點

- 可以用來分散你的投資組合，或對沖市場的負面波動
- 流動性高，意味購買和出售它們比擁有實體黃金容易
- 用小錢就可以投資黃金 ETF
- 可以投資到金條、黃金開採公司的股票

黃金 ETF 具有與債券相同的防禦性資產特性，許多投資人會用它來對沖經濟、政治動盪、貨幣貶值的影響。另外，與其他投資相比，它們的流動性相對較高，在證券交易所就可以進行交易，用小錢就可以買到，而且黃金 ETF 種類不限於投資金條，甚至也可以開採到黃金開採公司的股票。

● 圖表來源：portfoliovisualizer，Mr.Market市場先生整理。

▶ 黃金 ETF 的缺點

- 有管理費
- 必須選擇標的
- 在市場多頭時期報酬較弱

　　購買黃金 ETF 仍必須支付管理費，如果是槓桿或是反向類型的 ETF，管理費通常較高，另外要注意，雖然黃金可以用來做為避險與抗通膨的工具，但在市場多頭時期，報酬率與大盤 ETF 相比，報酬率較弱。

市場先生建議

　　在資產配置中，黃金是可配、可不配。比起股票債券，黃金其實又再比較次要，它是一個多樣化的選擇。無論如何，黃金的配置比例一般 10% ～ 15% 就算高了，最多不建議超過 25%。

　　在資產配置中，一般會選擇追蹤金價指數的 ETF，並不會使用金礦公司 ETF。

黃金ETF有哪些標的？

底下以美股為例，從金礦公司ETF、黃金價格ETF、反向黃金ETF、槓桿黃金ETF中，各挑出規模較大的幾檔追蹤黃金金價指數的ETF來介紹（台灣的ETF管理費貴很多，就不列了）。

黃金 ETF 簡介（資料日期：2022/3/15）				
ETF	費用率	規模（百萬美元）	追蹤標的	特性
GLD	0.40%	63,167.10	黃金價格	屬於黃金價格ETF，追蹤金塊的價格。
IAU	0.25%	30,588.41	黃金金條現貨價格	
GLDM	0.18%	4,566.92	LBMA黃金價格（下午定價）	
SGOL	0.17%	4,744,061	倫敦黃金價格（下午定價）	
BAR	0.17%	1,059.40	黃金價格	

市場先生有針對GLD、IAU、GLDM及SGOL，四支黃金ETF另作分析評價，內容請參考下面連結。

美股代號	名稱、原文網址	QR Code
GLD	SPDR Gold Shares （SPDR 黃金 ETF） https://rich01.com/gld-etf-review/	
IAU	iShares Gold Trust （iShares 黃金信託 ETF） https://rich01.com/iau-etf-review/	
GLDM	SPDR Gold MiniShares Trust （SPDR 黃金迷你信託 ETF） https://rich01.com/gldm-etf-review/	
SGOL	Aberdeen Standard Physical Gold Shares ETF （Aberdeen Standard 實體黃金 ETF） https://rich01.com/sgol-etf-review/	

除了追蹤金價的 ETF，也有一些其他黃金 ETF，追蹤金礦公司或者反向、槓桿的 ETF，這些 ETF 新手都不建議使用：

黃金衍生的 ETF 簡介（不直接買賣黃金）				
ETF	費用率	規模（百萬美元）	追蹤標的	特性
GDX	0.51%	13,900.00	追蹤AMEX Gold Miners index，包含開採黃金、白銀的採礦業公司。	屬於金礦公司ETF，追蹤股市中金礦開採公司的股票價格。
GDXJ	0.52%	4,600.00	追蹤Market Vectors Junior Gold Miners Index的績效表現，至少80%以上的資產投資在黃金開採的公司。	屬於金礦公司ETF，追蹤股市中金礦開採公司的股票價格。
UGL	1.35%	300.71	追蹤Bloomberg Gold Subindex，追求達到指數二倍的投資表現。	屬於槓桿黃金ETF，二倍做多黃金 ETF。
DUST	1.04%	87.55	追蹤NYSE Arca Gold Miners Index，追求達到指數反向二倍的投資表現。	屬於反向黃金ETF，二倍做空黃金 ETF。

黃金ETF推薦怎麼買？

台灣券商可以買台灣的黃金 ETF，但考量到管理費太高，我會建議使用複委託或海外券商購買美股黃金 ETF。不過，複委託費用比海外券商貴、且有低消限制，但比較適合不想匯錢到國外的人。

另一個方法，就是直接透過美股券商來下單購買。幾家常見的美股券商，都有提供免手續費服務，甚至提供容易操作的中文介面。

快速重點整理：投資黃金ETF好嗎？

市場先生建議，黃金 ETF 適合長期持有、做資產配置的人，因此原本手上就有美股券商的人，可以直接買黃金 ETF，用小錢就可以投資黃金，而且流動性高，具有避險的作用。

- 本文出處：
https://rich01.com/gold-etfs-review-all/

實戰篇 3

貴金屬投資入門

黃金和白銀長久以來都被視為貴重金屬而價值不菲，時至今日也成為許多投資者愛用的投資工具之一。但黃金與白銀其實並不是唯一的貴金屬投資商品，鉑金和鈀金也是貴金屬投資中的一環，而每種商品都自己獨特的風險與機會。

以下市場先生分享貴金屬投資的基本知識：

貴金屬是什麼？

貴金屬（Precious Metals）顧名思義，就是具有高度經濟價值的金屬，通常用來指「黃金、銀、鉑、鈀」四種金屬；而其中的金銀鉑因為被國際當作期貨、期權及ETF的買賣對象，也成為投資者的常見的投資管道之一。

一般來說，貴金屬會有高價值、外表美觀、穩定化學性質與高保值等特性。也正因為保值特性，貴金屬常被投資者做為避險工具，用來面對股災或是規避通貨膨脹，也相當適合作為資產配置的選擇之一，而黃金就是其中最為人知的貴金屬。

以下一一解析黃金、白銀、鉑、鈀金投資：

黃金投資 Gold Investing

黃金可說是所有貴金屬投資中規模最大、擁有良好耐久性與延展度的金屬。除了能應用於牙科醫療與電子產品之中，最常見的還是作為「珠寶」或「投資」，少量用於科技和中央銀行儲備。根據世界黃金協會的研究，每年有 4100 頓的黃金產出，而其中三成會流入投資市場之中。

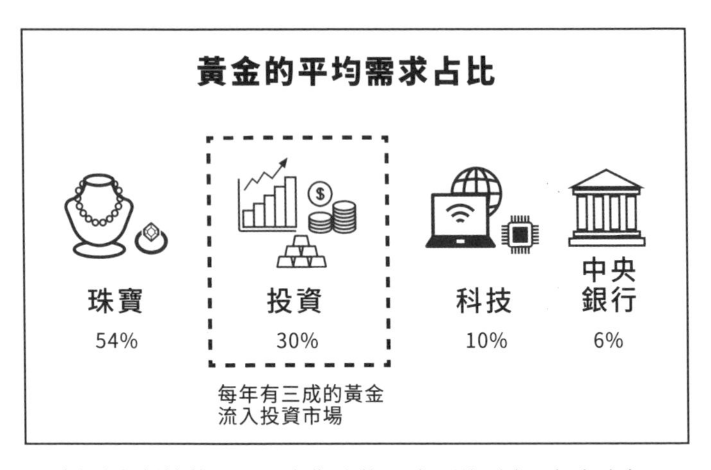

以上資訊根據截至 2016 年為止的 10 年平均需求。包含珠寶、科技、金塊、金幣和 ETF，並排除線下交易所彙整出來的數據。

資料來源：Thomson Reuters, World Gold Council。
整理&解讀：Mr. Market 市場先生。

黃金的交易價格一週七天、一天 24 小時都在變動。而影響黃金價格漲幅原理，其實就是簡單的供給與需求關係。能夠影響這層供需關係的因素很多，但至少要明白以下幾個情況，會導致黃金需求在短期內上升、價格水漲船高：

1. **經濟危機**：當政經情勢不穩定時，資金會從風險資產流出，移向其他相對保值的資產。由於黃金被視為安全的保值工具，因此資金會流向黃金做為避險。如 2020 年的新冠肺炎疫情股災，導致 8 月時國際黃金價格突破 2000 美元即為一例。

2. **通貨膨脹：**當通貨膨脹過於嚴重時，股票，債券或房地產市場的實際投資收益率大幅減弱時，投資者就會傾向將部份資金轉入黃金，以便維持整體資產的價值。

3. **戰爭或政治危機：** 一個國家若發生國防或政治危機，人們擔心既有貨幣因為動亂而貶值，因此也會改為持有相對保值的黃金，而這也會使得能夠流動的黃金量減少，因而抬高價格。

對我個人來說，黃金是資產配置、保守投資、投機的角色。

白銀投資 Silver Investing

不像是黃金單純的保值作用，白銀在保值與工業使用上，都有相當高的功能，這也導致白銀的價格波動程度比黃金劇烈。白銀和黃金的表現偶爾會出現一方較高、一方較低的狀況，但兩者的價格走勢其實有高度相關。

僅管目前白銀與黃金的交易價格走勢約略一致；但與黃金相較下，白銀運用於工業上的特質，會讓其交易價格因以下的產業需求增加而有所漲跌：

1. **相機底片的原料：**白銀過去因為攝影產業發達而有大量的需求，導致價格上漲；但在數位相機問市，翻轉了攝影產業後，使得白銀需求下降許多。

2. **科技、工業製造：**由於東方新興市場的開發需求，需要白銀作為原料的電子、醫療等工業產業大量發展。白銀也是電池、超導體、太陽能發電等高科技工業原料。

雖然以上提到的產業發展，不能斷定能夠影響多少白銀價格的漲跌，卻能明白一點：白銀的價格，不如黃金僅作為珠寶或保值功能，而會實實在在地受到工業應用價值的影響。

鉑金投資 Platinum Investing

如同黃金和白銀，鉑金也能隨時隨地在全球場中交易。雖然鉑金對投資者來說相對陌生，但得明白在政治金融穩定的市場中，鉑金都能因為其產量稀少，價格往往高過黃金的事實。不過，鉑金市場有幾點需要特別注意：

1. 鉑金與白銀一樣是工業應用的金屬。而鉑金最大的需求則在於**汽車工業**，鉑金能作為催化轉換器，來減少有毒氣體的排放；此外也常被用於電子業、石油等高產值工業，而珠寶飾品則不是鉑金的主要用途。

2. 由於汽車工業的發展，以及**空氣污染的環保意識抬頭**，鉑金的需求日益增加，價格也隨之攀升；但直到 2009 年，美國和日本的汽車製造商，開始轉向能夠循環使用、且價格也相對更低的鈀金屬。

3. 根據美國地質調查局於 2022 年公布的礦物商品

調查中，顯示鉑金礦山主要集中在南非和俄羅斯兩國。所以不難想像，鉑金的稀缺性使得鉑金價格掌握在這兩個國家手中。

	鈀金（Palladium）		鉑金（Platinum）	
	2018	2019	2018	2019
美國	14,600	14,000	4,200	4,200
加拿大	20,000	17,000	7,000	6,000
俄羅斯	93,000	74,000	23,000	19,000
南非	73,500	80,000	112,000	130,000
辛巴威	12,900	13,000	15,000	15,000
其他	2,670	2,800	4,320	4,300
全球總量	217,000	200,000	166,000	180,000

鉑金主要產自俄羅斯與南非。

而鈀金則可在美國、俄羅斯、南非和加拿大的礦山找到。

- **資料來源：美國地質調查局（USGS）。**
  整理&解讀：Mr. Market 市場先生。

https://pubs.usgs.gov/periodicals/mcs2022/mcs2022-platinum.pdf

鈀金屬投資 Palladium Investing

事實上，除了以上介紹的三種貴金屬投資，鈀金因為能夠運用的產業相當廣泛，且價格相對便宜，而正在崛起之中。

鈀金堪稱一般投資者最陌生的商品，但它不僅能運於汽車產業，還是許多電子產品的產製過程中不可或缺的原料，甚至連藥物、化工、珠寶等產業，都能見到鈀金的身影。此外，加工後的鈀金具有堅硬與高延展性的特質，也廣泛被運用在太陽能和燃料電池產業。

鈀金屬也因為比鉑金耐用，堅硬度比鉑金高12.6%，漸漸取代鉑金在汽車的催化轉化器的產製地位，而這也是鈀金屬需求最高的產業。

如何投資貴金屬？

有哪些管道能夠用來投資貴金屬，以及投資時該注意什麼：

1. **期貨和選擇權：投機交易、買低賣高**

   期貨和選擇權適合想用槓桿來放大投資貴金屬收益的投資人，但得注意放大槓桿的同時，也可能帶來相當大的收益與損失。因此，使用前請確保自己完全理解這兩項投資工具。

2. **期貨型 ETFs：小額投資、資產配置（須留意費用及轉倉成本）**

   金銀鉑三種貴金屬投資，都能在在期貨型 ETF 中找到。但交易期貨型 ETF 得注意一點，你無法實際獲得金條或銀幣等貴金屬。黃金 ETF 是很常見的投資工具，是屬於持有實物的黃金現貨，因此持有成本也相對較低；但其他類型的貴金屬則屬於期貨 ETF，故要多留意持有成本。

3. **礦業股相關共同基金和 ETF：長期投資、投機**

   礦業股的股價常與貴金屬的價格聯動，直接投資於相關股票而非貴金屬的好處在於，許多企業有相對穩定的利基。但礦業類股報酬走勢，依然受到原物料影響巨大，除非你相當了解礦業股的波動特型與價值，否則想利用相關股票來投資貴金屬，最好還是選擇有可靠能力的基金公司與經理人來投資。

4. **實體貴金屬：保守投資、擔心戰爭**

實際購入像是金條、銀條或貴金屬硬幣，也是一種投資貴金屬的方式，但這種方式只適合有地方或保險箱能夠存放的投資者。但對於一般投資者而言，最大的問題再於實體金屬缺乏的流動性、交易成本極高。通常是擔心所在國家金融體系有出狀況的風險，才會考慮實體黃金。

投資貴金屬的風險是什麼？

儘管貴金屬本身的保值屬性，使得它具有一定的安全性，但每種投資工具都有一定的風險。以貴金屬投資來說，儘管在經濟動盪的時期，貴金屬可能會上漲，但若持有的是實體黃金，光是要找到賣家脫手，就是一個難題。

另一個貴金屬投資的風險，在於貴金屬的價格建立在供需問題上。當某項貴金屬的需求激增，使現有的供應開始短缺時，生產該商品的供應商，將不得不增大產能將金屬帶入市場中，而當產量一增加，又會對上升的價格造成壓力而回檔。

快速總結：貴金屬是什麼？該如何投資？

貴金屬有著對抗通膨與保值的功能，適合作為良好的資產配置投資選項。

黃金並非投資者可使用的唯一貴金屬投資商品，白銀、鉑金和鈀金都是貴金屬投資中的一環，每種商品都自己獨特的風險與機會。除了擁有實體金屬外，投資者也能以貴金屬 ETFs、基金或礦業公司股票等方式，來投資貴金屬。

- 本文出處：

https://rich01.com/precious-metals-invest/